MOI MARU

CHAT ENROBÉ

130 rue de Rivoli
75001 Paris

Titre original : I am Maru

ISBN : 978-2-35013-364-5

Dépôt légal : octobre 2012

Texte et images
MUGUMOGU

MOI MARU

CHAT ENROBÉ

Jean-Claude Gawsewitch

Bonjour, voici Maru.

Maru est un scottish fold tigré marron à chaussettes et gants blancs, né le 24 mai 2007. Vous en apprendrez bientôt davantage sur lui. Tiens, le voilà justement qui vient se présenter.

Salut, je m'appelle Maru. On me qualifie de gentil
mais je peux parfois être méchant.

... et mon nom signifie cercle en japonais, comme ma silhouette :
toute ronde... Hé, qui a dit ça ?!

Revenons à son nom : *Maru*. « Circulaire (Marui) » est le premier adjectif qui m'est venu à l'esprit en le voyant. Ses yeux ronds, sa tête… tout ! Ce n'est pourtant pas ce qui m'a inspiré son nom. J'ai toujours voulu baptiser mon chat « Maru », un mot facile à prononcer. Très vite, mon compagnon l'a associé aux heures des repas. Et maintenant, dès qu'il entend son nom, Maru accourt vers moi, tout excité. Malheureusement, il m'arrive de l'appeler sans raison particulière. Désolée, Maru !

Ah, c'est l'heure du goûter ?

Passons maintenant à son surnom « Chibi-Maru ».
(*Chibi* veut dire « petit »)
Lorsque Maru est arrivé chez nous, il avait environ quatre mois et demi et pesait 2,4 kilos. À ce moment-là, il faisait plus penser à un « petit chat » qu'à un « chaton ». Le premier jour, j'ai cru qu'il serait effrayé et se cacherait dans un coin, mais Maru m'a paru très à l'aise. Dès que je l'ai sorti de son panier, il s'est mis à renifler la pièce, les assiettes, son grattoir, etc. Il a très vite appris la fonction de la litière. Je lui ai d'abord montré comment creuser le sable avec ses pattes. Après plusieurs essais, il a fini par y faire ses besoins.

Petit, on me comparait à un ange.

Et aujourd'hui, alors ? On me qualifierait de quoi ?

... de petit monstre !!

Bébé, Maru était très espiègle et curieux de tout. Il ne ratait jamais une occasion de faire exactement le contraire de ce que je lui disais. Prenons un exemple : quand je lui opposais un « non », après l'avoir surpris en train de sauter dans la poubelle, il devenait encore plus excité et déterminé. Aujourd'hui, il plonge sa tête dans la corbeille pour attirer mon attention comme s'il voulait me provoquer. « Non ! » lui dis-je. Et le voilà qui s'enfuit. Nos courses-poursuites commencent toujours de cette façon. Maru connaît le sens du mot « non ». Je ferais peut-être mieux d'accepter son invitation et de jouer avec lui.

Groumpf, j'ai grandi, pas de doute là-dessus !

Tu me traites de vilain garçon ?
Je ne sais pas de quoi tu parles.

Enfin, pas vraiment...

Je suis voûté et n'arrive pas
à me tenir bien droit.
Par contre, le yoga, c'est mon truc, ...
J'ai entendu dire que ma coloc
avait lancé un blog.
Elle m'a demandé combien de temps
ça allait durer d'après moi
et j'ai détourné les yeux...
La dernière fois, elle a alimenté
son blog pendant plus d'un an
jusqu'au jour où elle a tout effacé.
Peut-être que ça va se reproduire.
Il paraît que les humains ne changent
pas d'avis comme de chemise.

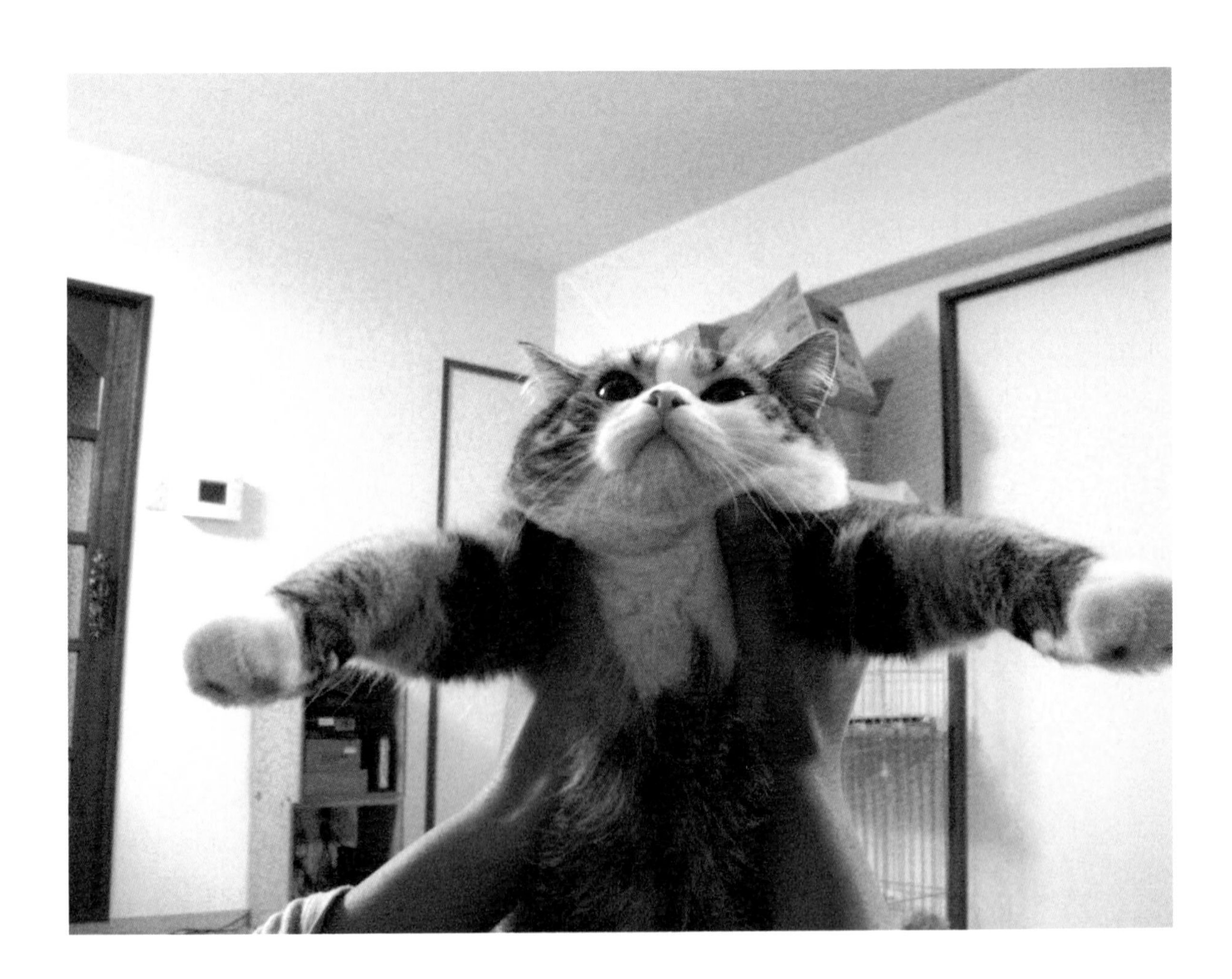

Samedi dernier,
la journée a été rude.
J'ai fait caca à deux reprises,
suscitant les cris de mes colocs
(un homme et une femme)
qui m'ont aussitôt embarqué
dans les toilettes.
La deuxième fois, c'était pire.
Pourquoi tout ce remue-
ménage ? Ils essayaient de
me tenir éloigné d'eux
en poussant des grands :
« beurk ! » Allons !
Quelle bande de dingues !
Bon, j'ai effectivement marché
dans ma crotte mais, en me
promenant dans la maison
mes pattes finiront bien par
se nettoyer toutes seules, non ?
Je les lècherais aussi bien sûr,
histoire de ne rien laisser.
J'veux leur dire que je suis plus
propre qu'eux ! Sans blague !

C'est mon coin favori. L'eau ne me fait pas peur.
Je l'aime bien fraîche.

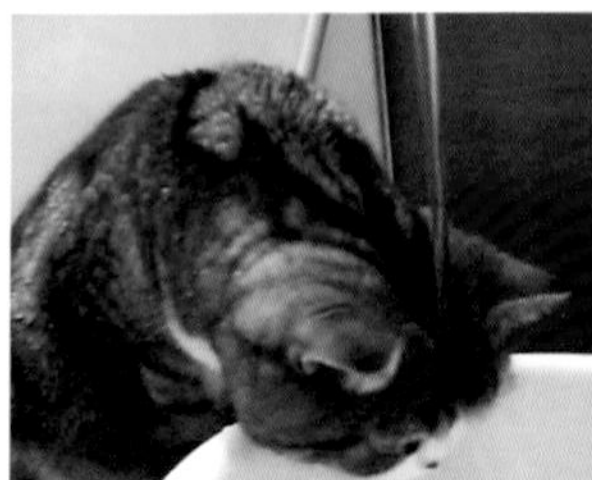

Même s'il m'arrive de frissonner parfois...

Mais ma coloc me trouve pénible. C'est bien ennuyeux.
J'étais là le premier. Attends ton tour, s'il te plaît.

Je vais piquer un somme.
Prière de revenir dans deux heures.

Ma coloc n'est pas croyable !
J'adore sauter dans la poubelle.
C'est mon passe-temps préféré.

Combien de fois faudra-t-il le lui répéter ?
Elle me gronde systématiquement.
Elle est longue à la détente.

Hé, qui m'a traité de gros ?

D'accord, j'ai six mois et je pèse quatre kilos.
Mais je ne suis pas gros.
Le médecin lui-même l'a reconnu,
même si ma coloc n'arrêtait pas de lui demander :
« Est-ce qu'il est gros ? »

Un peu grossier, non ?

On vient de m'engueuler.

Ma coloc m'a acheté un pot
d'herbes à chat.

J'étais trop excité et la seule chose
dont je me souviens c'est que le pot s'est renversé.

Elle ne m'en achètera plus.

« Les coulisses »

blog de Mugumogu (colocataire de Maru).

La rencontre : Maru est arrivé chez nous le 21 septembre 2007. Il devait être tout excité : il a couru longtemps à travers la pièce avant de s'allonger sur le parquet froid. Craignant qu'il n'ait froid au ventre, je l'ai posé sur le lit moelleux mais Maru en est aussitôt descendu. Lorsque je l'ai enroulé dans une serviette de bain, il s'est encore dégagé. J'ai très vite compris que notre chat n'aimait pas avoir chaud.

Une vidéo a rendu Maru célèbre.

Ce qu'aime Maru par-dessus tout, c'est chasser. Un jour, pendant une poursuite, Maru s'est retrouvé pris dans une boîte en carton. Le parquet est vraiment glissant. Après plusieurs tentatives, il a appris à développer et perfectionner ses talents de glisse, filant de plus en plus loin telle une fusée. Ce chat adore la glissade désormais. D'où la vidéo qui l'a rendu célèbre.

Parce qu'on a laissé traîner une boîte...

Je vous présente la boîte de croquettes glissante.

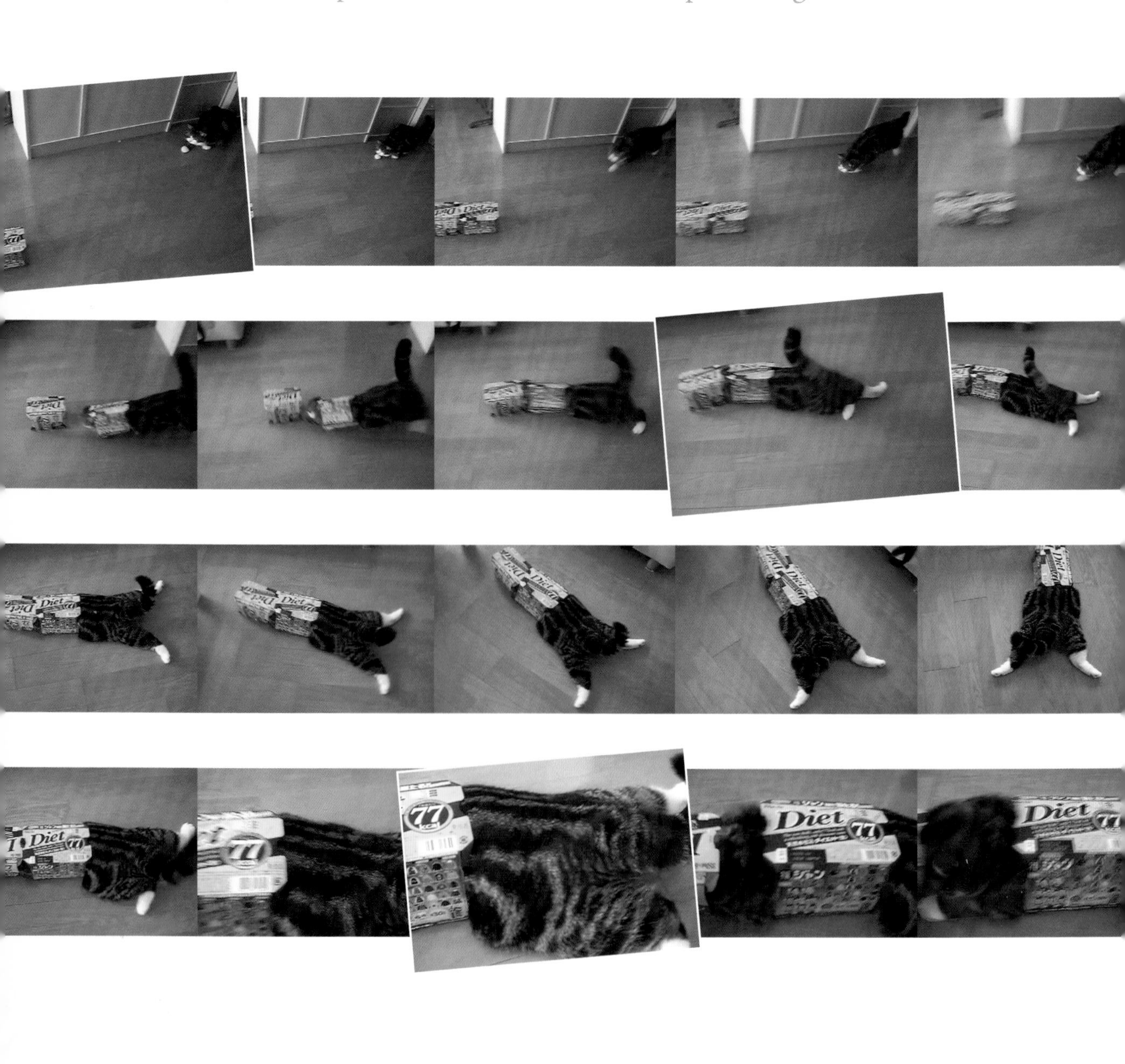

Diet

Je peux glisser avec n'importe quelle boîte.

Ce qui compte, c’est l’élan.

Je vis l’instant présent !

Première partie… Si l'on me fournit une boîte…

C'est l'emballage du pack de bières que je préfère.

Un bon exercice pour la ligne aussi, non ?

Diet
77
福 ジャン

AK137
発泡酒
麦芽使用率25%未満
アルコール分4.5%
350ml×24

TASTY DRAFT
糖質0
[カロリーオフ]
1缶ずつ取り出せます
1缶×24
350ml×24
350ml×24
ITFコード
049 01411 02479 0
KIRIN

Deuxième partie
Si l'on me fournit un carton...

J'aime les emballages de toutes tailles,
en particulier ceux qui me serrent un peu.

クローゼットサイズ 奥行50cm

J'entre même
dans les poubelles...

Dès que le sac est retiré, je prends vite sa place.

J'adore faire le contraire de ce qu'on me dit.

Il se jette dans une boîte les yeux fermés, mais pas dans les sacs en papier. Il inspecte toujours leur contenu avec précaution avant de s'y introduire. Quand il était petit, Maru a fourré son museau dans un sac en plastique et s'est fait piquer par une petite bête. Pris par surprise, il s'est violemment écarté en se frottant la truffe de ses deux pattes. Son museau n'a pas enflé après. Peut-être a-t-il été marqué par cet incident.

Les sacs me plaisent aussi.

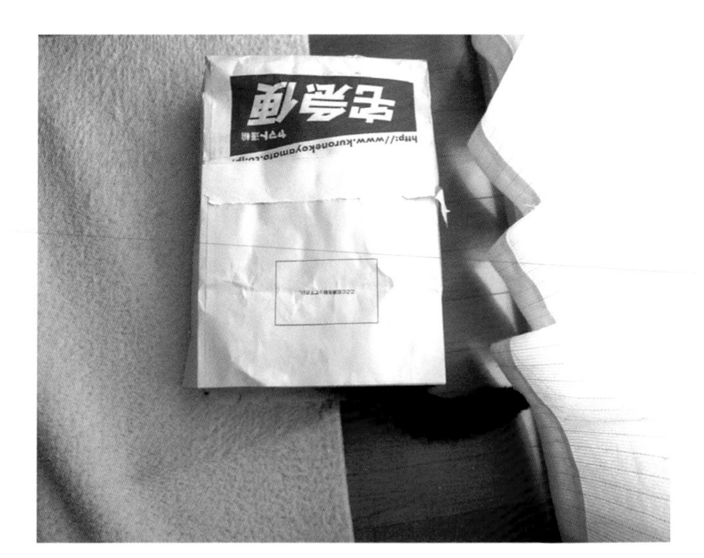
宅急便
ヤマト運輸
http://www.kuronekoyamato.co.jp

Le sac cache toujours un démon, je le sais.

Janvier – Mars 2008
Morceaux choisis
du blog de Maru.

Pas mal...

...cette cabane
en carton.

09/01/2008
Mmmh...

02/02/2008

On dirait que je peux voler !

J'ai trop joué. Besoin d'une petite pause, maintenant.

10/01/2010

Na ! T'es bien coincé ce coup-ci, pas vrai ?

Tu rigoles ?
Vise un peu
ça !

À vos marques,
euh... prêts...
Partez !

T'as vu ?

Mouais...
tu paraissais si désespéré.

Enfin, j'aime bien...

Cette gaine.

Elle me maintient le dos.

07/03/2008

Oups !

Une...

... marguerite !

22/03/2008

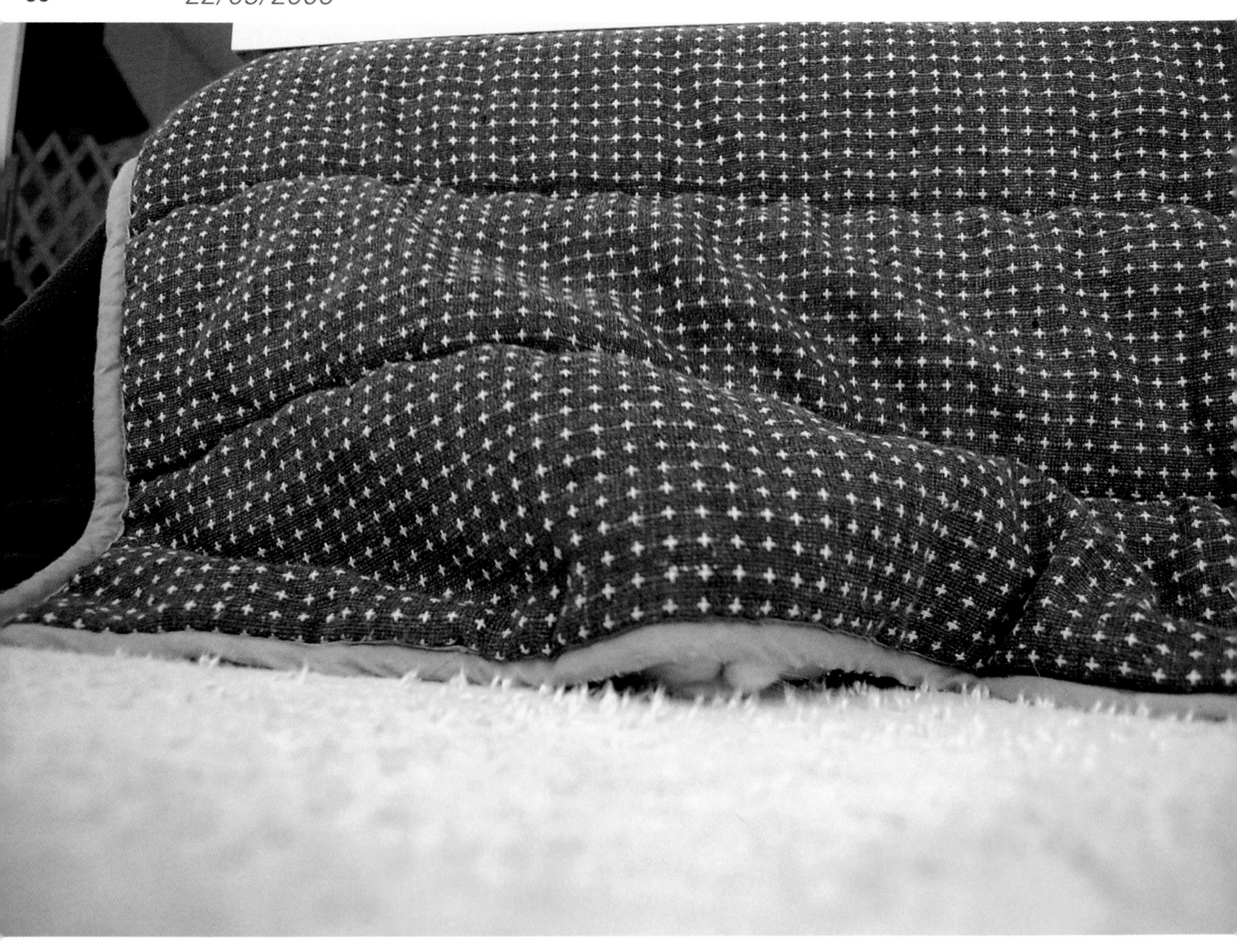

Coucou, Maru !

Oui ?

...Et ? Quoi ?

Rien.

Ne m'appelle pas pour rien,
s'il te plaît !

« Les coulisses »

blog de Mugumogu (colocataire de Maru).

Au départ, nous avions pris la vidéo « La boîte à chat glissante » en vue de participer à un concours organisé par YouTube. Pour le filmer, je tenais la caméra dans ma main droite et de la gauche, j'agitais la boîte afin d'attirer son attention. Cette diversion a bien fonctionné. Il suffisait d'ouvrir le carton des deux côtés – de façon à ce que Maru voie au travers –, et ensuite de l'écarter. On aurait dit qu'il avait inventé un nouveau jeu auquel il s'adonnait à sa guise. Chaque fois que je le filme, je dois me retenir de rire.

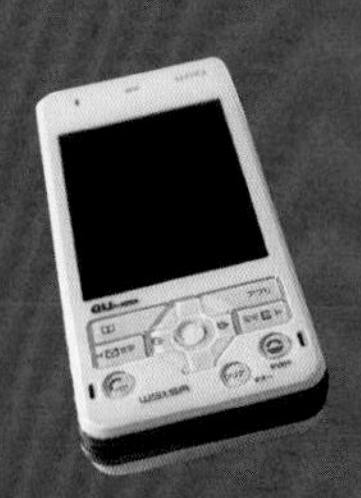

Maru et le jeu

Maru adore jouer mais il semble s'être lassé de sa plante en plastique ces derniers temps. Il vient vers moi en miaulant, l'air de dire : « Je m'ennuie ! Joue avec moi ! » Mais si je ne lui présente pas le bon jouet, il détourne le regard. Il me faut toujours deviner comment le satisfaire.

Peut-être traverse-t-il un âge difficile.

Lorsqu'il se lance dans un jeu, on ne l'arrête plus !

Avant

Maru à tête malléable

Sa fourrure lui arrondit et lui grossit la tête.

Si je la caresse, voilà ce que ça donne.

Après

C'est juste un petit mec qui porte des vêtements d'hiver.

Version élémentaire

Le Maru charmant.

Généralement, on me trouve très mignon.

Quatre costumes parmi d'autres

Celui-ci date
de l'année dernière
et ne lui va plus…
le Père Noël.

Le raton-laveur
déguisé.

Hello K*tty.

Le Petit Chaperon rouge.

Mes quatre meilleures imitations

Le lapin !

La ballerine

Attends, c'est moi !
Le Scottish Fold

Le hibou confronté
à un ennemi de taille

Bêtisier de grimaces 1

Bêtisier de grimaces 2

Bêtisier de grimaces 3

Bêtisier de grimaces 4

Mai – Juillet 2008 Morceaux choisis du blog de Maru

Qu'est-ce que tu fais ?

Je te brosse.

19/05/2008

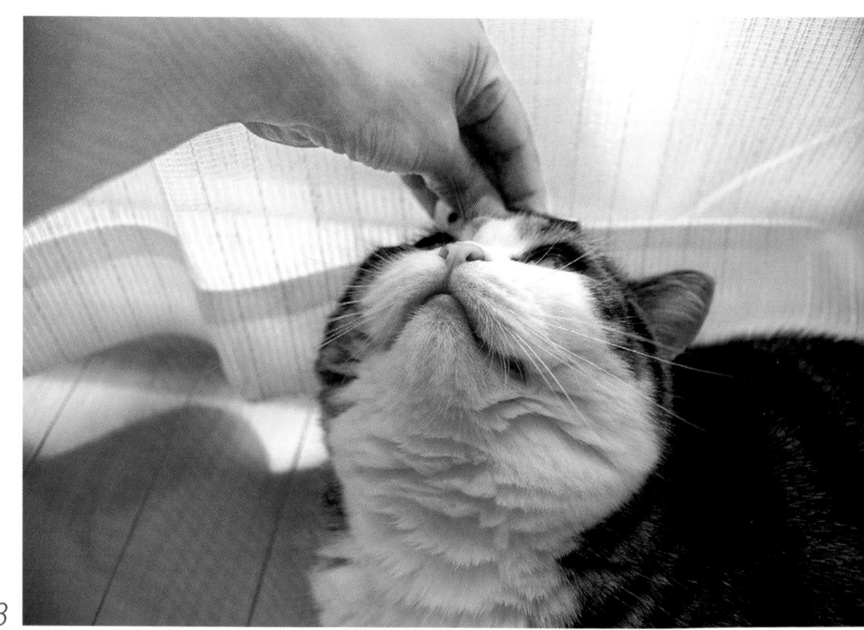

Ah bon ? Pourtant…

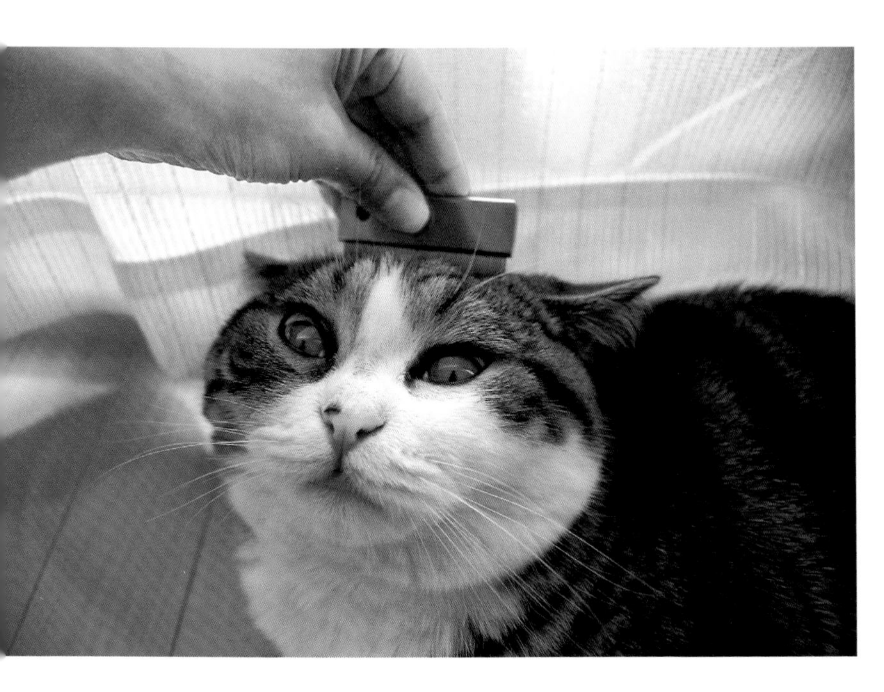

… j'ai plutôt
l'impression
qu'on se moque
de moi.

Bon,
je commence
à me lasser.
Et si tu passais
du côté droit
maintenant ?

29/05/2008

Qu'est-ce que c'est ?

Sale chien !

Je vais te mordre !

Mmpf, mmpf (reniflements)

Waouh !
C'est froid !

Bon sang,
il a remis ça !

Quand j'étais petit, je ressemblais à un écureuil rayé. *02/06/2008*

Il arrive même qu'on me surnomme la limace géante.

Maintenant
que j'ai grandi,
on m'appelle le
petit panda.

C'est cruel, non ?

06/06/2008

Je hurle

Un petit coup d'œil

En fait, je blague !

Je me glisse sous le canapé...

comme ça

11/06/2008

Je roule sur moi-même

et c'est parti...

Plutôt rapide !

Je m'ennuie.
Si on jouait ?

07/07/2008

Quelqu'un
fait du bruit
à côté de moi.

Silence,
s'il te plaît.
Je regarde la télé.

Très bien.
Je vais attraper
ta ficelle !

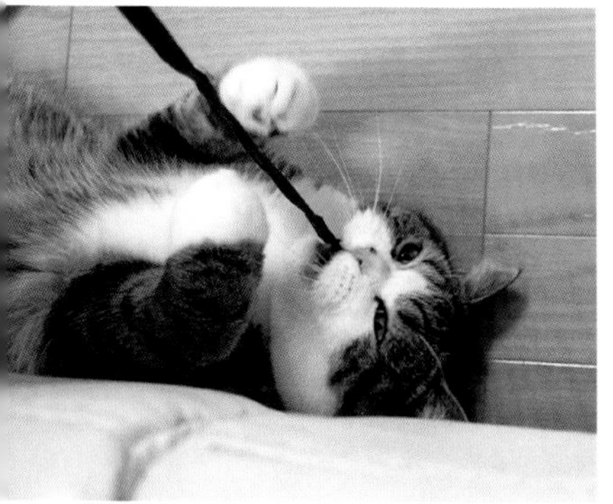

Et maintenant,
au tour de l'instrument
de torture !

T'as fini, oui ?
Je vais me coucher.

[..........]
...(silence)...

« Les coulisses »

blog de Mugumogu (colocataire de Maru).

Maru ne sait pas bien ramper. Il déteste ce qui lui tient chaud, peut-être à cause de son épaisse fourrure. Maru adore s'allonger sur du parquet dur, lisse et frais. Il se fiche des gens qui viennent à la maison mais ne va pas se frotter à eux ni ronronner à leurs pieds. Il garde son calme en toute circonstance et mène sa vie comme il l'entend. Maru déteste être porté et ne saute sur mes genoux qu'à son réveil. Dans ces moments-là, il est plus câlin et ronronne comme un vrai chat ! Il correspond rarement à l'idée que je me suis faite de son espèce.

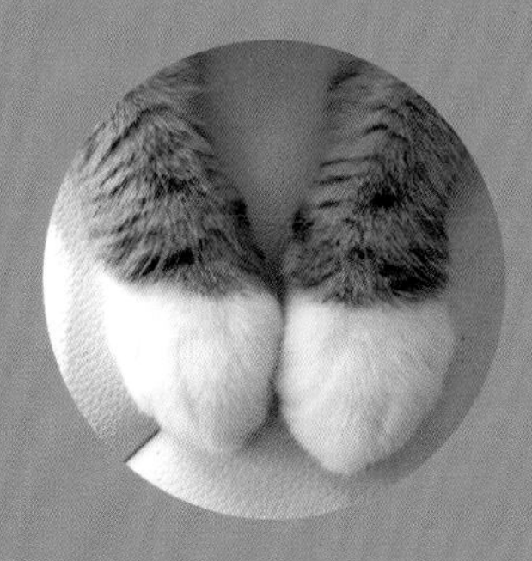

Pattes avant :

les gants blancs
qui font ma
fierté.

Oreille :

pointue à la
Scottish Fold

Queue :

petite et courte

Pattes arrière :

Je porte
des chaussettes
assorties
à mes gants.

Voilà comment on s'installe dans un canapé.

Ses hobbys préférés ? Manger et dormir. Maru est fondamentalement paresseux et passe son temps à s'allonger ou à traîner. Mais dès qu'il s'agit de jouer, Maru retrouve son sérieux. J'espère que vous appréciez ce chat, tantôt adorable, tantôt vilain, qui adore l'aventure et se lance à corps perdu dans son existence.

Je ne supporte pas
la chaleur !

Cette table me sert de lit.

Je nourris plein de rêves et d'espoirs.

Le secret de mon sang-froid ?
Un nettoyage minutieux de ma frimousse.

M'allonger sur le dos me détend tellement.

Combien me faut-il de ballons pour voler ?

Blurp !

Un gros chat pris à l’hameçon !

Comment tu me trouves avec cette carapace
de crabe en guise de chapeau ?

Je vise
ma proie.

Je n'aime pas
ce collier
et vais l'enlever
immédiatement.

Petite toilette
avant la sieste.

Zzz...Zzz...

Ah ! J'ai très bien dormi !

Bon, et si on
jouait encore
un peu.

Un goûter-brosse à dents

J'ai faim ! Mon repas, s'il vous plaît !

Quelle belle vue !

Je suis fatigué. C'est relâche, maintenant.

On se croirait au paradis.

Une petite pause
toilette

J'aime cet endroit
même si mon corps
dépasse.

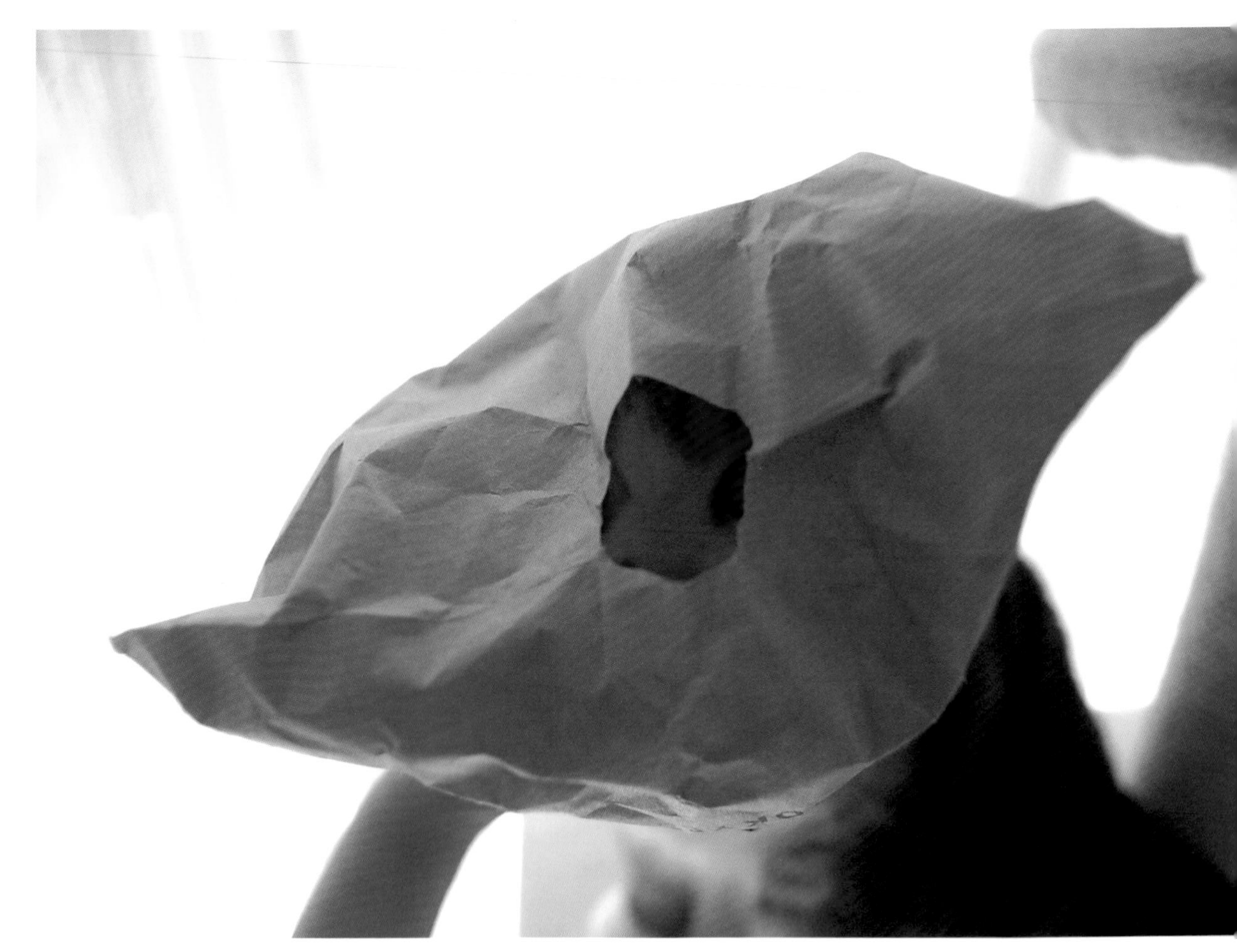

Partons faire une ronde.

Rien à signaler !

Ma chaise préférée.

Prêt pour
une glissade !

Qu'on se le dise,
je préfère
la marron.

Regarde,
je peux sauter aussi !

Août-Octobre 2008 : Morceaux choisis du blog de Maru

C'est quoi, ça ?

Une vieille poêle à frire.

Tu peux la garder parce que je viens de m'en racheter une.

27/08/2008

Hé, le chat frit ?! Elle te plaît ?

Mouais, j'ai connu mieux.

En fait, je suis pas mal
occupé pour le moment.

À quoi ?

À m'entraîner à la boxe
pour perdre du poids.

Ça m'amuse de jouer
avec une serviette.

Tu en as pourtant eu peur
la première fois que tu en as vu une.

Je peux te l'emprunter ?

Vas-y, je t'en prie.

...NON !!

27/08/2008

05/09/2008

Hé Maru, qu'est-ce que tu fais là ?

Chut ! Je me planque.

Tu plaisantes ?!

Non, je suis sérieux.

… Je vois ça, tu dors.

21/09/2008

Tu es arrivé à la maison il y a un an, jour pour jour.

Tu le prenais très mal quand je te grondais.

Quel gamin, ce chat !

Ne m'as-tu pas qualifié
d'adorable chaton tout à l'heure ?

02/10/2008

Maru,
il y a quelque chose
que je ne t'ai pas dit.

Oh non,
tu as mangé toute
ma nourriture,
c'est ça ?

Non ! Bon...
c'est à propos...

Ta-dam ! J'ai fait pousser de l'herbe à chat pour toi.
La dernière fois, tu l'avais ravagée en un clin d'œil.

Waouh !

Ne la gâche pas cette fois.

Je sais,
je vais la grignoter
doucement ce coup-ci.

Eh, Maru,
tu l'écrases déjà
avec ta tête.

04/10/2008

Eh, écoute ça !

Ta vidéo a été diffusée hier soir.

Et pourquoi ne pas m'avoir prévenu ?

QUOOAA ?

S'il te plaît, ne t'énerve pas,
je viens de l'apprendre.

Ce n'est pas juste.
Si j'avais su,
je me serais fait une beauté.

Mmmh,
ça n'a pas d'importance.

Dans le Shinkansen.

Premier déménagement de Maru en juillet 2009. C'était un vrai défi pour nous de changer d'adresse avec Maru. D'abord parce que la plupart des propriétaires refusent de louer leur maison à des gens qui ont un animal de compagnie, en particulier un chat. Même si nous avons fini par en trouver une, nous étions très inquiets pour Maru. Afin de préparer notre déménagement, nous avons demandé conseil à un vétérinaire.
Le jour J, je l'ai enfermé dans la salle de bains avec sa litière, le temps de sortir toutes nos affaires. Ensuite, nous sommes montés dans le Shinkansen après avoir pris un billet à la gare pour Maru. Notre chat a été calme et s'est bien comporté pendant tout le trajet. Une fois arrivé dans notre nouvelle maison, Maru est lentement sorti de sa boîte pour aller explorer ce territoire inconnu. Il avait l'air bien quoiqu'un peu excité car il respirait la bouche ouverte. Le jour suivant, nous avons été rassurés de voir Maru s'allonger sur le sol comme d'habitude.
Bien joué, Maru !

J'ai adoré faire les cartons.

Il était surpris de trouver une pièce vide.

Visite de la maison, sur le qui-vive.

Maru se détend et se met à l'aise.

« Les coulisses »

blog de Mugumogu (colocataire de Maru).

Préférences et aversions de Maru

Il aime : Le thon, le Sashami (les blancs de poulet tendres). Habituellement, il mange un assortiment de pâtées et de croquettes, mais une garniture de petits morceaux de thon cru ou de sashami grillé le met aux anges !

Il n'aime pas : Le lait. L'odeur de lait pour chat le fait creuser.

Il déteste tout ce qui est chaud et préfère manger ce qui sort du frigo, même l'hiver.

MARU AIME :

Sa souris – la nuit,
il l'emmène toujours
avec lui en balade.